JN087308

UNDER THE BANNER OF
KING DEATH

海賊たちの黄金時代

死の王の旗の下に

デイヴィッド・レスター 作/絵

マーカス・レディカー 作

笠井俊和 訳

花伝社

目次

序文

なぜ私たちには海賊が必要なのか

マーカス・レディカー（Marcus Rediker）

　海賊を思い浮かべてみてほしい。真っ先に思いつくイメージは、木の義足、手にはフック、片目に眼帯といった障がいをもち、肩にオウムを乗せた男であろう。その男は荒々しく乱暴で、ときにユーモアがあり、ときに恐ろしい。ロバート・ルイス・スティーヴンソンの『宝島』から、『パイレーツ・オブ・カリビアン』などのハリウッド映画まで、このような海賊のイメージは、何世紀にもわたってアメリカの大衆文化を、そして次第にグローバルな大衆文化を覆い尽くしてきた。

　このイメージは神話ではあるが、神話であるからこそ実に力強いものである。すべての神話がそうであるように、この神話にも、小さいながらも本質的な真実が含まれている。というのも、1660年から1730年にかけて公海上で掠奪行為を働いた「黄金時代」の海賊は、そのほとんどが労働者の船乗りで、一線を越えて違法行為に手を染めた社会の最下層の貧しい男たちであったが、彼らの多くは、危険な仕事で負った傷跡を残していたのである。当時の海戦といえば木造の船を破壊する砲弾が使用されるものであり、爆発で飛び散った大小の木片が、船員を失明させたり彼らの腕や脚を切断したりした。船員たちは、帆桁から落下することもあれば、重い積荷を運んでヘルニアになったり、マラリアなどの消耗性疾患を患ったり、あるいは転がった樽によって指を失うこともあった。大勢が死に、その亡骸は大西洋という広大な灰緑色の墓地へと沈められた。大西洋世界の港町で見かける物乞いの大半が、不具になった船員たちであった。

海賊の傷ついた体は、「死の王の旗の下に」航海した者たちの真実の歴史を理解する鍵となる。死の王の旗とは、悪名高き黒旗、すなわち海賊のジョリー・ロジャーのことである。遠洋をゆく帆船という死の機械に閉じ込められ、そこから海賊となった船乗りたちは、生き残りをかけて激しい戦いを繰り広げた。労働のさなかに障がいを負い、賃金をごまかされ、腐った食料を与えられ、専制的な権力をもつ船長によって甲板のそこかしこで鞭打たれていた海の男たち（そして少数の女たち）は、海賊船の上では根本的に異なる生活を築くことになるのである。

　「短くも陽気な人生」とは、海賊たちが好んで口にしたフレーズである。ある男が述べたように、一般の船員には認められなかった自由・尊厳・富とともに「生きられる限り生きよう」ということである。海賊船で生み出された陽気な暮らしにより、船員たちは船長や幹部を選出できるようになったが、これは世界中のどこにおいても貧しい人々が民主的な権利をもたない時代のことであった。その陽気な暮らしは、富──そして生き残る機会──の再分配をももたらしたが、海運業や王立海軍における階層的な慣習に比べて、それは驚くほど平等主義的なものであった。海賊たちは、病躯や負傷のために働くことができない仲間にも掠奪品の分け前を与えることにより、原始的な社会福祉制度をつくり出しさえした。

　海賊船の非体制的な社会秩序は、「万国の民からなる悪漢」──当時においても現代においても、一般的な通念では、協力し合うとは思えないさまざまな人種や民族の労働者たち──によって生み出されたからこそ、よりいっそう印象的であった。どの海賊船にも、イギリス人、アイルランド人、ギリシア人、オランダ人、フランス人、あるいはアメリカ先住民のクルーがいたかもしれない。アフリカ人とアフリカ系アメリカ人の船員は、その多くが沿岸部の奴隷制プランテーションから逃亡した者たちであり、カリブ海や北米でそれらのプランテーションの近海を自由に荒らし回ることで、とりわけ重要な役割を演じた。大西洋の海上労働市場と船乗りの経験は、長きにわたり、国境にとらわれないものであった。海賊船の社会的構成がその証左であり、海賊の肩に乗ったオウムもそのことを物語っている。そのオウムは、雑多な船員たちとともに異国の果てを旅してきたのだから。

　この無法者たちは、絞首台が自らを待ち構えていることを知ってはいたが、すでに彼らはそれ以前にも日々の労働で命の危険を冒し、早死にしかけていた。彼らは、ジョリー・ロジャーを通じて、この点を

明確にしている。その旗には、捕らえた船の船長に恐怖を与え、すぐに降伏するよう迫るべく、死の象徴である「死神の頭」が用いられた。（実際に、多くの船長がその意味を理解し、服従した。）しかし、その旗は、逆に海賊が餌食となることに対する彼ら自身の恐怖心をも表していた。というのも、当時の船長は船員が死ぬと航海日誌に髑髏を描くものであり、その慣習から、海賊は死を象徴するそのシンボルを採り入れたのである。海賊が、人間の心臓を貫く凶器と砂時計を旗に加えることもよくあり、それらは暴力と限られた時間、つまりは彼ら自身の人生にまつわる恐ろしい真実の象徴であった。彼らはまた、「ロジャー」という動詞が性交を意味することを知っている裕福な者たちに、暗号化されたメッセージも送っていた。つまり海賊旗は、「この畜生め」と伝えているのである。怒りとユーモア、すなわち権力者に対する憤怒と、いかなる犠牲を払ってでも隷属よりも自由を選んだ男たちのユーモアが、彼ら海の無法者たちを特徴づける決め手となるであろう。

　このあと、本書では、隠された宝探しや幽霊船、海へと追いやられた不遇な貴族、総督の美しい娘と恋に落ちる海賊が出てこないことに、がっかりする読者もいるだろう。しかし、実のところ、海賊行為の歴史はハリウッドの神話よりもはるかに深みがある。本書は、黒い旗を掲げ、公海上で機能する民主主義のシステムをつくり上げた平水夫たちの物語であり、暴力的な最期を迎えることになる（それ以外の結末はなかったであろう）旅する同胞たちの物語である。

　拙著『海賊たちの黄金時代——アトランティック・ヒストリーの世界』を改作するにあたり、デイヴィッド・レスターは海賊たちの「下からの歴史」を非常に繊細に、かつ視覚に訴える力強さで描き出している。そして、人々が無法者になることを選択した真の理由——労働環境・鞭打ち・早死に——と、法の効力の及ばないところで彼らが自らのためにいかなる社会をつくり上げたのかを、人間らしいことばで明らかにしている。デイヴィッドの手によって海賊たちは、グローバルな資本主義の動力となり、そしてそれに挑んだ労働者としてだけでなく、別なる世界が実現可能であると見出した思想家かつ行動家として蘇ったといえよう。おそらく最も重要なのは、抵抗すべき権力者たちが存在し、戦うべき社会正義の大義がある限り、私たちが常に海賊を愛するその理由を、デイヴィッドが示してくれているということである。

年表

海賊たちの黄金時代、1660〜1730年

1660 年代：カリブの海賊（バッカニーア）がスペイン領カリブ海沿岸（スパニッシュ・メイン）で戦闘を繰り広げる。
ジャマイカを拠点にヘンリ・モーガンが海賊たちを率いる。

1690 年代：海賊たちがマダガスカル島に拠点を築き、インド洋で商船を襲撃する。

1695 年：ヘンリ・エイヴリ一味が財宝を積んだムガル帝国の船団の船を拿捕する。

1698 年：イングランド議会が「より有効な海賊鎮圧のための法」を制定する。

1701 年：海賊へと転身した私掠船長ウィリアム・キッドが
ロンドンで絞首刑に処される。スペインに対する海賊行為を奨励していた
イングランドの権力者たちが、海賊行為の鎮圧へと舵を切る。

1713 年：スペイン継承戦争／アン女王戦争が終結し、数千人の船乗りが職を失う。

1715 年：難破船から富を得ようとした船乗りたちが海賊に転身する。

1717 年：海賊がバハマ諸島に自らの「共和国」を築く。
「黒ひげ」ことエドワード・ティーチとその一味が北アメリカ沿岸を襲撃する。

1718 年：イギリス当局がバハマ諸島の奪還のためにウッズ・ロジャーズを派遣する。

1718 年：サウスカロライナ植民地チャールストンで
スティード・ボネットほか 29 人の海賊が絞首刑に処される。

1720 年：「ブラック・バート」ことロバーツが数百隻の船を拿捕し、
大西洋奴隷貿易を混乱に陥れる。

1721 年：イギリス政府が 1698 年の法を改定し、
海賊に協力した者も絞首刑に処すことを定める。

1722 年：イギリス王立海軍がロバーツの船団を破り、ロバーツは戦死する。
52 人が絞首刑となるものの、多くの海賊は活動を続ける。

1726 年：処刑された海賊は数百人を数え、この年には
ウィリアム・フライがボストンで絞首刑となる。
海賊たちの遺体は船乗りへの警鐘として水際に吊るされる。

1726 年：海賊たちの黄金時代が幕を閉じる。

船乗りことば

「鱗に覆われた魚」	船乗り
「砲手の娘にキスをする」	船の大砲に縛られて鞭で打たれる
「弾丸を噛む」	うめき声を押し殺す
「キルデビル」	ラム
「飲んだくれの葉」	タバコ
「ポンド」	現金、賃金
「フランス病」	性病
「死神の頭」	髑髏と交差した骨
「金持ち紳士」	海賊
「勘定に出る」	海賊になる
「雲雀（ひばり）」	怠け者
「ぐずな雄鶏」	たるんだ陰茎、ぽんくら野郎
「デイヴィ・ジョーンズの所持品箱」	海底
「尻の錨を降ろす」	腰を下ろす
「ジョリー・ロジャー」	海賊の黒い旗
「ラムで着飾る」	おめかしする
「血まみれの背中」	赤い軍服のイギリス兵
「ゴーリー翁」	金貨
「いかした袋」	黄金の詰まった財布
「ベーコン顔」	肉厚な顔
「ニワトリ頭」	愚かで頭の鈍い
「悪霊」	尻、屁

＊廃糖蜜から作ったラム。

大西洋　東へと向かう船

くたばれ

船底の水をすする
ネズミ野郎め

私が船底の
ネズミだと？

ラム…
それと火薬さ

ポートロイヤル

「塩漬け肉のベス」の酒場

やあ、愛しのベス

ルーベン、あんたは元気にしてた？

のどはカラカラ？

こいつらにたっぷりの「キルデビル」と「飲んだくれの葉」を頼む

なあみんな…

俺の肌を見りゃわかるだろうが…

隣のルービーとかとは違って、俺は船乗りになるべくして育ったわけじゃない

でも商船で働いてきた

どの船でも、俺や水夫仲間たちはみんな平等に扱われた…

まるで**犬**みたいに

でも俺たちみんな、抵抗の話を知ってる…。勘定をもらえなかったから働くのをやめたっていう…

でもそれがいつもうまくいくわけじゃない。だから…

雇い主が音を上げるまで、俺たちの行動が他の船にも広まったんだ

ああ、**ストライキ**だ

だから…？

だから…。生き抜く術を知らなきゃいけない

この船の**全員**が同意する
俺たち自身の掟に基づいて、
船の上の新たな政府を
つくるんだ

同志たちよ、
「尻の錨を降ろして」
耳を貸してくれ

あらゆる重要な
決定において、
俺たちは議論し、
評決するものとする

俺たちは口の
きけない畜生のごとく
こき使われてきたが、
今や俺たちが
俺たち自身の
ボスなんだ

陽気な人生を
おくろう

たとえ
短くともな

46

ロンドンのコーヒーハウス

あのような
人類の敵によって
アフリカン・プリンス号を
失うとは、忌まわしいことだ

奴らは海の怪物にして、
万国の民からなる
悪党だ

アフリカン・
プリンス号での反乱は
なんとアフリカ人が率いて、
そいつは自らジョン・
グウィン船長と
名乗っている

アフリカ人が…
世界の商業を
攻撃するとは！

我慢ならん！

黒い旗の下に
航海する奴らは、
その旗の下で死にたい
らしい

では、その男を
追い詰めて、そこに
吊るしてやろう

ただ死ぬ
だけでは、奴らは
怯えないだろうからな

60

王立アフリカ会社の
デカ尻の支配者どもに
乾杯！

王立アフリカ会社　社旗

大砲を
降ろすぞ

ロンドンのコーヒーハウス

数えてみたが、このところ30を上回る反乱で我々の商船が破壊された。中には奴隷船も！

しかも反乱を起こした乗組員の半数がジョリー・ロジャーを掲げた

海賊どもは水夫たちに仲間入りを強制してはいない

あいつらは脅されてではなく、自発的に加わっているんだ

「勘定に出る」とかいうらしい

けしからん！

奴らの死体をすべての港町に吊り下げてやるべき頃合いだな

それが警告を発することになる

海賊どもは「世界に宣戦布告する」とか抜かしている

我々は**奴らに**宣戦布告だ

拿捕した船のクルーから海賊になりたがる者を仲間に加えながら、
ナイト・ランブラー号は大西洋を西へと航海する

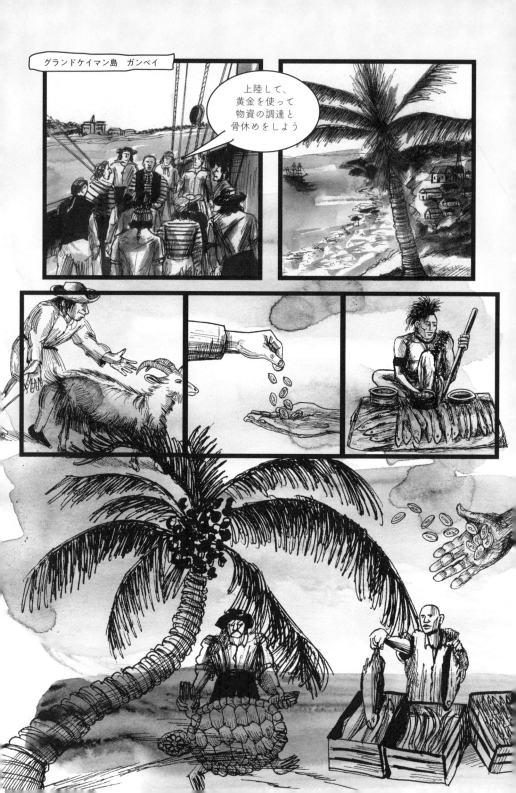

* 船乗りの労働歌。

白状する
最後のチャンスだ。
ナイト・ランブラー号は
どこだ？

「なんぴとも、
海賊と共謀、結託、同盟、
あるいは取引した者は、
海賊と見なし、
死刑に処するものとする」

拒むのか？
その沈黙、
後悔することに
なるぞ

この男を船に
連れていけ。
だが、まずは…

村人たちの記憶に
残るように、
見せしめだ

そのような
履き違えた忠誠心に
叩き潰さねばなら…

まだ口を
割りません、
閣下

貧乏で価値もない
ここの住民は、海賊を
尊敬している

あの男は…

キューバの沖合

船が近づいてくる。
左舷の方向だ

大砲は 40 門

旗は
どうだ？

ジョリー・ロジャーを
掲げてる !!!

ブラック・バート・
ロバーツかも
しれん !!!

ウェールズの
伊達男だ！

彼は 400 隻の船を
拿捕してるんだ、
ルービー

あの男のせいで、
奴隷船の船長たちは
生きた心地がしない
だろうな

だが彼は部下たちに
愛されてる

それに…

バラッド歌手たちは
大胆不敵な彼を
歌にしてる

俺は紅茶で
祝杯を…

アフリカン・
プリンス号の
解放に！

兄弟としてお前たちを
もてなしたいところだが、
戦利品のことを聞くに、
お前たちが俺を
もてなす方だな

それで俺たちの
尻を拭いて
やったのさ

なるほど、ボストンを
出港した船を拿捕して、
海軍本部委員が出した
布告の束を奪ったのか

なにせ俺たちは
海の覇者
だからな！

たしかに
そうだな。
ところで…

ジョン、お前に
伝言がある

ポートロイヤル
でベスから
受け取った
ものだ

お前がここに
いるだろう
からってな

良い知らせだと
いいんだがな

謎めいた
知らせだな

愛しのJ. プレゼントがあるから、
そこで待っていて
B.

ところで…
ブラック・バート、
そろそろ取引を
しないか

それに…
あんたたち一行に
敬意を表して
宴会もだ

マスケット銃　アヘン

ラム

剣

塩漬け牛肉

短銃

火薬
豆
牛脂

鎖弾
チェーンショット

マスト用の針

棒状弾
バーショット

ブドウ弾
グレープショット

帆布用のこて

革製の弾丸入れ

副木
そえぎ

医療針

圧迫帯

弾薬

縫帆手の掌革
パーム

船のパーツ

医療器具

91

干レブドウ　　　　　　薪　　　　　　　　酢　　　　　　　　バター　　　　パン　　　ビール
　小麦粉　　砲　弾　　　　オートミール　　　水　　茶とコーヒー

砲弾の装填が
間に合わん

相手の火力が
圧倒的だ

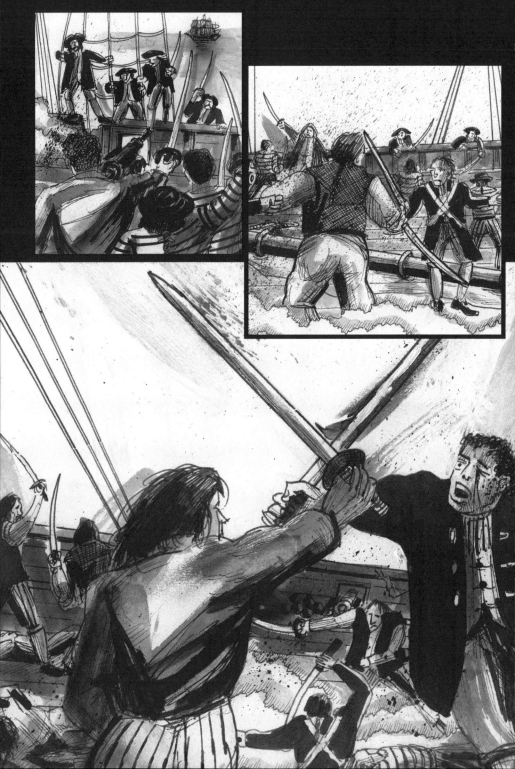

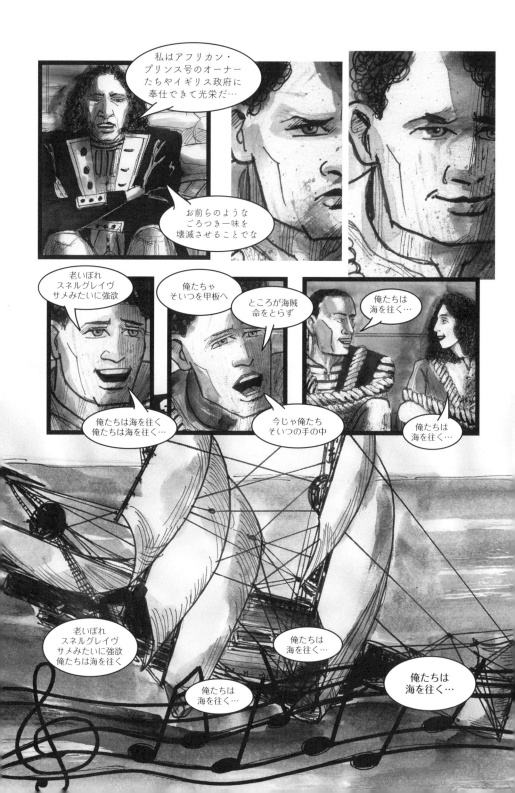

判決の言い渡し…

115

さらばだ、友よ。
最期まで並外れて
勇敢だった

ロンドンのコーヒーハウス

海賊とは…

平の水夫に
とっては貴公子
なんです

ルーベン・
デッカーの醜態を
さらす見せしめ…

縄にぶら下がった
あの姿を見れば、
水夫たちも目を覚ますん
じゃないか

あとがき

私たちが見てきた海賊
——大衆文化史からの補考

ポール・ビュール（Paul Buhle）

　本書は、マーカス・レディカーによる海賊の歴史物語（サガ）をデイヴィッド・レスターが彼らしく脚色したものであり、その価値は内容の芸術性に裏打ちされているのだが、おそらく本書を理解する最良の術は、数世紀にわたる読者の目線から「海賊」のイメージを探ってみることによって見つかるだろう。いま私たちは、レディカーの学術的成果の恩恵を大いに被り、海賊の歴史の大々的な再解釈をまのあたりにしている。仮に、海賊の物語というものが、皆が真剣に考えた内容よりもはるかに複雑だとしても、その物語が大衆文化の中でどう受け止められてきたのかを知ることで、私たちは多くを学ぶことができる。それを知ることにより、また別のより良い芸術——さまざまな境遇の庶民による、帝国の権力に対する闘争を扱う芸術——へと進む道も、導き出されるであろう。

　英語圏でいかなる人物よりも名を馳せた、伝説上の無法者にして民衆の友であるロビン・フッドさながらに、海賊たちが（複雑すぎる分類を単純化すれば）大衆向きでロマンティックな存在となるのは、当然の成り行きであった。彼らは法と秩序の枠を越えて存在している。彼らは船内や船外での生き様を誇り、力強く歌い上げる。進歩的あるいは急進的な解釈によると、ときに彼らは持たざる人々の闘争に直接的に加わることもあり、より多くの場合、あらゆる時代の追放者である彼ら自身の生存のために闘争するのである。

　ここでは、私たちを18世紀初頭の「海賊の黄金時代」へと引き込

むべく、古代から現代に至る、大きく長い、非常に複雑な海賊行為の歴史は話題から外しておこう。商業印刷物の普及とともに、海賊と海賊行為は、大衆の興味を引くことが当然の題材となった。才能ある挿絵画家たちは、すでにその世紀の最初の10年間にも、海賊を大衆向けに描き始めていた。ここでまず言及するべきは、キャプテン・チャールズ・ジョンソンによる『海賊全史』〔1724年；朝比奈一郎訳『海賊列伝——歴史を駆け抜けた海の冒険者たち』上下、中央公論新社、2012年〕であり、その本には1722年の戦闘で死亡した「ブラック・バート」ロバーツ船長の情報が充実している。粋な鬘、ショース、ガーターを身につけた彼の姿は、のちの海賊像とは似ても似つかない。おそらく歴代で最も成功を収めた海賊ブラック・バート——陸でまっとうな暮らしができなかった若者が、商船から海賊に捕らわれ人質となり、のちにクルーから選出され海賊船の船長となった——は、一時代の終わりを象徴する人物でもあった。彼の処刑によって、黄金時代は幕を閉じたのである。挿絵画家たちは彼を「紳士」と想像して描き、海賊の長や副官となった女性たちがより下層の階級の身なりで描かれたという例外を除けば、何世代にもわたって海賊の幹部たちは同様の描かれ方をした。悪党である海賊は、女性よりも男性の方が、やがてさらに荒々しい容姿へと変わっていったが、それもなお、多分に描き手の想像に基づく描かれ方であった。

　一方、海賊は早くから、挿絵の豊富な大衆文学へと侵入していて、そこから立ち去ることはなかった。ダニエル・デフォーは、『ロビンソン・クルーソー』(1719年)をはじめとするいわゆる「海洋冒険小説」において、眼帯や義足の海賊を読者に身近なものにするとともに、ジョリー・ロジャーというトレードマークを考案したか、少なくともそれを大衆に広めたと思われる。いずれも海賊の作品を著したバイロン卿、ウォルター・スコット卿、ラファエル・サバチニ、アーサー・コナン・ドイルらは、児童文学の巨匠たるスコットランドの作家ロバート・ルイス・スティーヴンソンに比肩しうる存在であった。スティーヴンソンの『宝島』(1881年)と『誘拐されて』(1886年)は、その後に登場する数々の作品の方向性を決定づけていて、同じくスコットランド出身のJ・M・バリーによる児童文学の古典『ピーターパン』さえも例に漏れない。この作家たちが記憶されていったのとは裏腹に、挿絵を描いた画家たちはというと、一人また一人と忘れ去られていったようである。

　19世紀後半に識字率が向上したこと、そして1880年代までに安価

な雑誌を作れる印刷技術が登場したことは、あらゆる違いを生み出した。定価10セントの雑誌は、世紀転換期に読者数を劇的に増やし、発行部数が急増した雑誌は、広告を掲載して収益を得ることにより、生産コストよりも安い価格で、路上の新聞屋で販売されるようになっていく。

　1870年代から90年代には、アメリカ合衆国における階級闘争の先鋭化を示す出来事——1877年の鉄道労働者の暴動、労働騎士団の興亡、ヘイマーケット事件、プルマン・ストライキ——が起きていたが、同じ時期には、人民党の一時的な支持獲得や、民衆の社会主義運動を確立しようとする最初の奮闘もあった。「下から」のあらゆる闘争は首尾よく鎮圧されたかに見え、復讐の物語を求める民衆の嗜好を研ぎ澄ますこととなった。実際、新興の産業で労働力を搾取されている絶望的に貧しい人々の、わずか数ブロックか数マイル先で怠けて暮らしている金持ちの描写は、誰かが、何かが、反撃しなければならないという民衆の認識を強めたのである。

　舞台において、海賊というテーマがロビン・フッドと肩を並べるのは、単純な理由によるものである。すなわち、主役とその陽気な子分たちには肉体的な強さがあり、軽快に動く悪党は、読むよりも見る方が良い。そして、舞台でギルバート・アンド・サリヴァンのオペレッタ『ペンザンスの海賊』（1879年）に勝るもの、あるいはそれよりも永らえるものがあり得ただろうか。この作品が、舞台上の海賊のイメージを確立し、またそれを笑いの対象にしたのであり、数世代ののちに女装したバート・ランカスターが見せたような、映画界の名優の喜劇的な才能を生み出す一助となったことは疑いない。

　文学に海賊が飛び入ってから一世紀が過ぎ、木版画がすっかり普及したことも相まって、本や定期刊行物（日刊紙も含む）は、より細やかで芸術的に海賊を描写し、印刷できるまでに発展したように思われる。なお、そこでの海賊のイメージに、歴史研究に基づく明確な根拠がないままだったことは、問題にならなかったようである。それよりも後の世代の画家であれば、なおさら気にも留めないであろう。

　それを実際に気に留めた画家が一人いるのだが、彼は海賊のイメージのみならず、芸術という分野を変えたといえるかもしれない。彼の描く海賊は、たいてい体に合っていない汚れた服を身にまとっていて、シャツにズボンにアクセサリーまで、世界中のそこかしこのものと思われる装いである。彼らは決してジェントルマンではなく不屈の労働者階級の人物であり、その眼差しや痩せた身体は、画家が死に物狂い

となった者たちの執念の現れと捉えたものである。なお、彼が船を注意深く入念に描いていたことも、なぜこの画家がそれほどまでに重要であるのかを示す証左となる。

その画家、「アメリカのイラストレーションの父」として知られるハワード・パイル（1853～1911年）は、当初は自著に描いた挿絵によって広く知られるようになり、それらの本ではさまざまな海賊のことが力強く語られていた。それからパイルは、フィラデルフィアにイラストアートの学校を設立し、それはのちにドレクセル大学となる。彼の教え子は、おそらくアメリカで初めて商業イラストレーターとして成功した者たちであり、彼らがマックスフィールド・パリッシュやさらにはノーマン・ロックウェルなど、数世代にわたる名高いイラストレーターに影響を与えることになるのである。

パイルは、グローバルな貿易を通じて新たに入手可能となった印刷物（特に海賊に関連するもの）に夢中になったのはいうまでもなく、アメリカでの博物館ブームや個人収集への熱の高まりによって利用できるようになった美術品の虜にもなった。彼は正確な描写のヒントを得るために服装に関する本や歴史的な手稿も調べ上げていたが、実際に海賊が日頃身につけていた仕事着についての情報が乏しいため、結局のところ彼の絵の正確さは限られたものであった。とはいえ、揺るぎない想像力を働かせた彼の作品は、何世代にもわたって維持される──おそらくは現在まで続く──海賊のイメージの決定打となった。

パイルが反逆者を愛していたと考えるのは、空想に過ぎないだろうか。ロビン・フッドも描いていた彼は、森そのものへの愛着と同じく、そのシャーウッドの森の無法者に特別な愛着をもっていたともいわれている。パイルの作品と、彼が教え子たちと形成した「ブランディワイン派」の多くの面々による作品は、人間が環境の中から作り出したあらゆるものよりも、想像力を働かせて当世風に自然の教えを強調し、また、それ自体が生命をもつ森を重要視していた。パイルにとって、航行中の船やそれに乗る人間を取り巻く脈打つ海とは、新米の水夫が到底理解できるものではなく、まして制御などできないものであった。彼の描く船乗りは、独自の環境で暮らしていて、自然災害が起きる不安を常に抱えている。彼らは、権力の脅威だけでなく海流や嵐からも生き延びられたら幸いなのである。ロビンにとってのシャーウッドの森のように、海は階級社会の支配からの逃げ場となり、また、逃げ場であると同時に、当局に捕まり殺されるという深刻な危険をもたらすところでもあった。

パイルは画家人生を通じて海賊の絵を描き、その多くが彼の『海賊の書』（1921 年）に収められている。彼はその数十年前には『楽園の薔薇』（1888 年）を著し、挿絵も描いているが、その副題は、「1720 年、モザンビーク海峡のフアナ島沖にて、名高い海賊エドワード・イングランドに遭遇したジョン・マックラ船長に起きた予期せぬ出来事に関する詳細な記録——彼自身の執筆により、ここに初出版さる」であった。

　パイルの弟子であるフランク・E・スクーノヴァーも、イラストレーターとしての長いキャリアを通じて海賊を描き、批評家や一般読者から称賛を集めた。しかし、ロバート・ルイス・スティーヴンソンの『誘拐されて』（1913 年）と『宝島』（1915 年）に描いた挿絵によって次の世代からの注目を浴びたのは、同じくパイルの弟子だった N・C・ワイエスであり、彼がこの分野でパイルと並ぶもう一人の大家であり続けている。その二巨頭の存在の大きさゆえに、実際のところ、20 世紀の作品の中で、パイルとワイエスの海賊に匹敵するようなコミカライズ作品（あるいは原作）を見出すのは困難であろう。

　残念ながらそれとは対照的に、1920 年代末に登場したアクション重視の日刊紙のコマ割り漫画には、海賊が出てくることがほぼなかった。偶像視されるほどの漫画家ミルトン・カニフが 1939 年に創作し、のちに一連の後任者が引き継いだ『テリーと海賊』は、人種に対する古い考えや人種主義者の立ち後れを示す際立った事例である。グローバル・サウスを舞台とする、1930 年代から 50 年代に作られた他の冒険もののコマ割り漫画に登場する主な非白人は、アフリカからニューヨークに至るまで、従属的な立場ではあるものの、まだ人間らしい姿をしていた。カニフの漫画では、官能的で魅惑的なドラゴン・レディは別としても、戦時中の反日プロパガンダに即して、アジア人は半人間的かつ黄色い肌の風刺画のような容姿で登場する。そのような海賊たちを、テリーが食い止めるのだった。

　1940 年代から 50 年代の新たな大衆文芸となった漫画雑誌に、海賊というテーマがあるか探してみると、EC コミックス社が登場するまでは、ほとんど見つからない。漫画雑誌でのヒーローたちはアメリカ中心的で、コマ割り漫画とまさに同じように、たいてい海賊は除外されていた。それはおそらく、漫画で扱われる時代設定では、19 世紀よりも古い時代の主人公をほとんど見出せなかったからであろう。漫画本『マッド』（1952 ～ 55 年）といえば、当時のあらゆる種類の漫画——軍事行動をロマンティックに描いたものもあった——を風刺し

たパロディの覇者であるが、同作品でさえも海賊を一人たりとも生み出すことができなかった。しかし、『マッド』の出版社はそうではなかった。EC 社の漫画シリーズ『海賊』(1954 〜 55 年)は、19 世紀の漫画雑誌から最新のものまで含めても、ほぼ間違いなく、最も秀逸な作品であろう。

　もう少し説明しておく方が良いだろう。父親が急死したあと、小さな漫画制作会社を引き継いだ若きウィリアム・ゲインズは、この上なく才能豊かでやる気に満ちた若い漫画家を数名雇い、さらにハーヴィー・カーツマンとアルバート・フェルドスティーンという編集を担う 2 人の大物を雇うことにより、地歩を固めた。やがてその 2 人は、歴史上の戦争を多かれ少なかれ事実に基づいて扱う——大胆にも、当時まさに起きていた朝鮮戦争も含まれていた——、驚くほど現実に即したシリーズを複数考案し、その制作指揮をとった。それらは核戦争の危険性に警鐘を鳴らす SF シリーズであり、また、人種差別や右派の自警主義を非難する「社会的」な漫画であった。

　連邦議会の調査により、子どもたちを堕落させると見なされた漫画業界が衰えゆく状況下で、EC 社が業界を救うべく行った乱暴かつ実験的な土壇場での試みは、フェルドスティーンの指揮の下、『海賊』をわずか 7 号だけ出版することだった（なお、カーツマンの辞職により、彼は絶頂期の雑誌『マッド』を牽引することになる）。『海賊』は、さまざまな点において典型的な EC 社の漫画だった。ストーリーは言葉でしっかりと説明されていて、漫画家はウォリー・ウッド、ジャック・デイヴィス、そして知名度ではやや劣るリード・クランドールなど、その分野の大物が揃っていた。作品の絵に関しては、視覚的なインパクト、カメラで撮ったような写実性、諷刺の使用が卓越しており、驚きの結末という筋書きとその場面の絵もまた印象深いものとなっている。

　EC 社の漫画は、カーツマンが指揮を執った戦争ものが研究者に最もよく知られるところであるが、歴史的な物語へと足を踏み入れる研究にとっては無二の存在であり続けている。『海賊』は、この法則に当てはまる作品であった。船長の服から等級の低い航海士の服、さらにボタンにまで及ぶ服装の描写、マストの上の見張り台から内部に至る船体、あらゆる種類の武器、そして何より、残忍な仕打ちを受ける船乗り自身の見た目も、これらすべてが思う存分大胆に描かれていた。フェルドスティーンは、彼自身が研究の鬼といわれていたが、物語執筆の鬼でもあり、漫画家が絵に自分らしい作風を加えることにはかな

りの裁量を認めていたのだった。

　欲望的に暴力を求める読者なら、その作品に数多の暴力を見出すであろう。しかし、強者に対する弱者の擁護を求める若い読者——彼らこそ、EC社の漫画の常連の読者である——は、その作品に権力の濫用者に対する英雄を見出すであろう。その創刊号の編集部コメントは、次のように請け合っていた。「これまでに読んだどの作品とも違う、海を渡る冒険譚出版の試み。北極から喜望峰まで、木造のガレオン船の時代から装甲された巨大な近代客船の時代まで、これらは海に出た男たちの歴史物語であり、そこにはロマンチストが抱くような魅力などない。暴力性、残酷性、残忍性をもつ、真実の海の歴史物語である。……ページをめくると、そこには……フィクションのロマンスではいつも美化されている冒険者たちがいる。ここで、君は彼らの本当の姿を目にするだろう。」特筆すべきなのは、読者がその漫画を通じて、海の冒険や仕事を求めてもいない若者たちに対する「強制徴募」や、反乱を招くことになる船長による残酷な虐待、そして独自の共同体のようなものに結集した死に物狂いの男たちによる復讐を見ることができた、ということである。

　EC社の尽力と漫画の黄金時代を経て、海賊たちは現在に至るまで、多彩な現場で息を吹き込まれてきた。ただし、漫画の世界の海賊たちは、ほぼ例外なく、本質的にスーパーヒーローの派生形（スピンオフ）の脇役に留まっている。この基準にまったく当てはまらない例外もあるのだが、それはアンダーグラウンド・コミックスの最盛期（おおよそ1969〜80年）に制作・出版された、S・クレイ・ウィルソンによる海賊ものである。自らも喧嘩早く大酒飲みだったその漫画家は、見る者に衝撃を与え、漫画の検閲のあらゆる限界を打破しようとしていたのだが、疑いなく彼はそれに成功したといってよい。彼の描く海賊は、男であれ女であれ、敵の性器を切り落とし（しかもそれを食べさえする！）、悪魔と対決し、自由気ままに男色に耽り、そしてたいてい無法者のバイク乗りと同じように乱暴を働くのだった（ウィルソンは、自身が描く物語で海賊以外にバイク乗りにも関心を注いでいた）。彼は描写の正確さにはまったく関心を示さなかったし、また、他の多くのアンダーグラウンド・コミックスで描かれる暴力とは一線を画し、彼の作品では、搾取する者に対する階級闘争的な復讐が描かれなかった。

　コミックアートの新たな進路を歩んだ、というよりもそれを創り出したデイヴィッド・レスターは、「EC社の『海賊』シリーズの色使いよりも、ホガースによる白黒のエッチングと相通ずるところがある」

彼独自の作品を世に出すことで、読者を「過去の時間」へと誘おうとしたのだと語る。水彩絵の具、画筆、鉛筆、ペン——それらを武器にレスターは、ときには有名な海賊映画から着想を得て、スケッチを切り取っては組み立て直して「スローモーションのような動き」を生み出すことで、読者がページに留まるように仕向ける。過去のグラフィックノベルにおいては、レスターはシナリオを練るためのラフスケッチの際に、スケールモデルや粘土模型を作った。そして本書では、船をあらゆる角度から描くために、彼は18世紀のガレオン船のスケールモデルを制作している。彼はいつも、絵を描く前にガレオン船模型の進捗を確認し、「木造船の世界に暮らす」というのが空間的にどのようなものであったのかを感じ取ろうとしたのだった。

　こうして、マーカス・レディカーとデイヴィッド・レスターの海賊たちは、正当な歴史的地位を占めるに至っている。彼らは、ロマンティックには描かれず、理想化もされず、軽く扱われる脇役でもなく、実際に生きて行動し、そして往々にして短命だった海賊たちである。レスターの作品に見られる映画のような品質が、彼らの生き様を雄弁に物語ってくれる。それはまるで、偉大な海賊の物語や素晴らしい映画の1ページから彼らを呼び寄せ、新たに漫画というかたちで表現したかのようである。仮に、ここまでに述べた歴史の中から本書の先達を一つだけ選びうるとすれば、それは疑いなく、黄金時代（漫画業界が先細っていく以前、漫画が成熟の域に達しかけていたと思われる時代）における漫画雑誌『海賊』であろう。いま、レスターの作品で、その海賊たちは新たな命を吹き込まれたのである。

（歴史家、編集者）

訳者解説

笠井俊和

フィクションにしてフィクションにあらず

　海賊とは、水夫にとって貴公子である。ウィリアム・スネルグレイヴ船長は、本書の物語の終盤、ロンドンのコーヒーハウスでこのように述べた。実際のところは、海賊を貴公子にたとえたのはバーナビー・スラッシュというペンネームの人物である。船の料理番だったスラッシュは、海賊たちの「黄金時代」である18世紀初頭を生き、船乗りの世界での経験をもとに、自著にそのような表現を書き残した。むろん、水夫の誰しもが海賊に憧れの眼差しを向けていたわけではないとはいえ、概してその時代の水夫は貧しい労働者であり、彼らが海賊への転身を決意することにより、海賊はその数を増していった。自らの意思で海賊になった者にとって、その選択は、働けど報われない暮らしからの脱出にほかならなかったのである。

　この物語の3人の主人公、すなわちサウスカロライナの農園（プランテーション）からの逃亡奴隷ジョン・グウィン、アムステルダム出身の水夫ルーベン（ルービー）・デッカー、そして異性装のマークことメアリ・リードは、いずれも自らの意思で海賊になることを選んだ。そのグウィンを船長とする一味は、拿捕した船にいた水夫たちが志願するかたちで仲間を増やしていく。そう、本書は単に海賊に好意的な視点から描かれたフィクションではなく、史実に基づいて海賊の歴史を脚色したグラフィックノベルである。

　本書の原題は *Under the Banner of King Death*（『死の王の旗の下に』）であるが、これは、アメリカの歴史家マーカス・レディカーが初めて学術雑誌に発表した論文（1981年刊）と同じタイトルである。

労働史の泰斗として知られるレディカーは、その論文以後も海賊の研究を続け、2004年に彼の海賊史研究の集大成となる著書 *Villains of All Nations: Atlantic Pirates in the Golden Age* (Boston: Beacon Press, 2004) が出版されている。その著書を原作とし、グラフィックノベル版へと生まれ変わったのが本書であり、脚本はレディカーとデイヴィッド・レスターの共作で、作画はレスターが担当している。なお、原作は、『海賊たちの黄金時代──アトランティック・ヒストリーの世界』（和田光弘・小島崇・森丈夫・笠井俊和訳、ミネルヴァ書房、2014年）としてすでに邦訳も出版されている。本書の読者諸氏には、ぜひ原作も手に取ってみていただきたい。

　本書は、その冒頭から、原作を多分に意識した脚本となっている。というのも、物語は海賊ジョン・ブラウンの処刑の場面から幕を開けるが、原作もまた、実在の海賊ウィリアム・フライの処刑から始まるのである。ジョン・ブラウンという名の海賊も実在しており、その人物は、1717年にボストンで絞首刑に処されたサミュエル（ブラック・サム）・ベラミー一味の一人であった（船長のベラミーは嵐による船の沈没で死亡している）。

　この物語には、ブラウン以外にも実在の人物が登場していることに気づかれた読者もいるだろう。メアリ・リードという女海賊は、日本ではアニメやゲームの影響もあってそれなりの知名度があり、グウィン一味が航海の途上で出会ったバーソロミュー・ロバーツは、「黄金時代」を象徴する海賊として、つとに著名であろう。ジョン・グウィンという海賊が実在した記録はないものの、そのモデルとなった人物は存在しており、1741年にイギリス領のニューヨーク植民地で起きた奴隷と労働者による反乱の首謀者の一人が、ジョン・グウィンという名のアフリカ生まれの黒人奴隷であった。また、グウィン一味が船に名づけたナイト・ランブラー号とは、実在の海賊ジョゼフ・クーパー一味の船の名前と同一である。先に名を挙げたスネルグレイヴも実在の船長で、1719年に海賊船に身柄を拘束されたものの、部下の水夫に対して誠実な態度で接してきたことが判明したため、命拾いした人物である。

　レディカーの学術的な歴史研究を母体とする本書ゆえに、登場する海賊たちには、彼が詳らかにした当時の海賊を取り巻く実情が反映されている。以下では、レディカーの研究内容に絡めて「黄金時代」の海賊たちの特徴を紹介しつつ、本書の要点や興味深いところを訳者なりに解説しておきたい。

貧しい労働者の急進的抵抗

　上にも述べたように、海賊のほとんどが、かつては労働者であった。そもそもレディカーが研究対象にしてきたのは、海賊になった者も含め、船乗りや黒人奴隷をはじめとする近世大西洋世界の労働者たちである。社会の支配層ではなく、労働者など一般民衆——とりわけ抑圧された人々——に光を当てる「下からの歴史」を実践する彼は、現状にもがき苦しみ、それを打破しようと団結した船乗りや奴隷の数々の抵抗を史料から明らかにしてきた。その研究によれば、当時の貧しい労働者にとって、海賊になることは抵抗の手段のひとつであり、ときに恐怖や残虐性をも行使する最もラディカルな抵抗であった。なお、レディカー自身は、歴史家であると同時に社会正義のために闘う運動家でもあり、たとえば死刑制度の廃止を訴える活動や、過去の奴隷制度の賠償を求める活動にも、積極的に関わっている。

　レディカーの歴史観に共鳴し、海賊を描いたレスターは、本書の脚本にも「下からの歴史」を織り込んだと語っており、海賊たちがもとは貧しい庶民であり、虐げられた人々であったことは、登場人物のセリフからも明らかであろう。セリフ以外にも、たとえば、グウィンたちが冷酷なスキナー船長を殺害し、海賊一味を結成して掟に署名する場面に注目してもらいたい。署名の場面を描いたページ（47〜48ページ）には、署名した者たちの名前だけでなく、「X」の文字が散りばめられている。それは、自身の名前を書けない水夫たちが、「X」を署名の代用としたことを意味している。教育を受ける機会も限られ、若くして船で働き始めた当時の水夫は、他の職業よりも識字率が低く、レディカーによると、おおよそ3人に1人は文字の読み書きができなかった。

　ちなみに、その場面は、歴史上の海賊一味が掟を起草し、署名していたという事実に基づいているのだが、それだけではなく、レディカーが関心を寄せる作家ハーマン・メルヴィルへのオマージュも込められている。自身が元船乗りであったメルヴィルの小説『オムー』（1847年）には、捕鯨船の船員たちがろくでなしの船長への不平を訴えるべく、タヒチ駐在のイギリス領事宛に陳情書を認（したた）めて、連判状（ラウンド・ロビン）に署名する場面がある。署名した面々の中には、ブラック・ダンやワイモントゥーという名前の水夫がいて、本書のグウィン一味の掟にも、ブラック・ダン、ワイムートゥーと書かれた署名が見られるのが興味深い。

「雑多な船員」の民主主義

『オムー』に登場するワイモントゥーがマルケサス諸島の先住民で
あったことから、似た名前をもつグウィン一味のワイムートゥーもま
た、同地の先住民ではないかと想像される。同じくグウィン一味の掟
に署名したラスカー・ジョーは、アジア人の水夫であろう。というの
も、当時の欧米籍の船では、アジア人（特にインド人）の水夫はしば
しば「ラスカー」というニックネームで呼ばれていたのである。この
ような、多民族かつ多人種な一味の構成も、当時の海賊の特徴であっ
た。主人公の3人はというと、グウィンはアフリカ系で、デッカーは
アムステルダム出身、リードはロンドン出身といった具合で、やはり
その出自は多彩である。本書の原作では、海賊船において黒人とムラー
ト（白人と黒人の混血）の存在が珍しくなかったことも論じられてい
る。本書で黒人のグウィンが海賊の頭を務めていることを、現実味の
ないフィクションとして片づけるべきではないだろう。（ただし、18
世紀初頭の海賊船に、マルケサス諸島先住民やインド人がいた蓋然性
は低いと思われる。）

　このように国境横断的な特徴が見られるのは、近世の時代において、
なにも海賊船に限った話ではない。海賊とともにレディカーの研究対
象である商船の乗組員もまた、その顔触れは多国籍であり、とりわけ
遠洋航海を担う大型船ほど、その傾向が高かった。片言とはいえ複数
の言語を使いこなした船乗りはそこかしこにいて、本書でオランダ出
身のデッカーが英語もフランス語も話せたのは、決して驚くことでは
ない。

　多様な水夫たちが大勢乗り組む大型の遠洋船ほど、彼らを管理する
船長や幹部船員の権力は絶大なものとなり、そこでは暴力や非人道的
な扱いを伴う「上から」の規律の押しつけが日常的に見られた。それ
が大きな要因のひとつとなり、水夫の中には海賊行為へと走る者も現
れる。水夫だった時代に不公平な境遇を経験してきたからこそ、海賊
となった彼らがつくりあげた小さな社会は、本書でも描写されたよう
に、民主的かつ平等主義的な色彩を帯びたわけである。しかも、彼ら
がそれを――短い期間だったとはいえ――実現したのは、本書の序文
にあるとおり、「世界中のどこにおいても貧しい人々が民主的な権利
をもたない時代」であった。その事実を幅広い読者に伝えようとする
本書（原著）は、社会正義教育に尽力するアメリカの非営利組織「ティー
チング・フォー・チェンジ」から、2023年に出版された優良なグラ
フィックノベルの1冊に選出されている。

なお、海賊が奴隷の解放に関与する場面も描かれている本書には、反奴隷制のメッセージも込められた作品だという評価も寄せられている。ただし、海賊たちが奴隷解放論者だったということではない。レディカー曰く、海賊にとって重要なのは、相手が白人なのか黒人なのかではなく、相手が海賊から自分たちの船を守ろうとするか、それとも海賊に加わろうとするか、であった。つまり、海賊が、拿捕した船にいた奴隷に一味への仲間入りを認めてやることで、結果として奴隷を解放したケースはあり得た、ということである。

船乗りの「語り」による文化の継承

　本書には、レディカーの研究が如実に反映されている場面がほかにもあり、そのひとつは、船乗りの文化における「語り」の重要性が描かれているところである。彼の近年の研究では、船乗りや海賊のストーリーテラーとしての横顔が論じられている。それによると、彼らには、仲間うちで物語（航海譚）を語り合う習慣があり、危険がつきまとう日常をおくるなかで、物語は娯楽であるだけでなく、個々人の経験を交換・伝承する役割をも担った。すなわち、緊急時の対応や上官への抵抗などの経験を語り合うことで、集団の内部で知恵や教訓が受け継がれるとともに、協力や結束の必要性が理解されるのであり、それは新米水夫の同化にも不可欠なものであった。本書においては、グウィンが過去に別の海賊一味にいた経験を語ったことが背景となり、水夫たちがスキナー船長に対して反乱を起こし、海賊になることを決意するのだった。

　すべての一味に当てはまるわけではないとしても、当時の海賊が民主的で平等主義的な特徴を共有していたという事実は、ある海賊一味の文化が別の一味へと継承されたことを意味している。本書の原作に従えば、海賊は、人数が増えすぎたり船内で不和が生じたりして一味が分裂することにより、新たに結成された一味にも文化が継承されていったという。本書では、一味が分裂したパターンは描かれないが、文化の継承においても船乗りの語りが重要な意味をもった。つまり、かつてグウィンがいた海賊一味が民主的・平等主義的な集団であり、その詳細がグウィンの語りによって仲間たちに共有されたことで、彼自身を船長とする一味にもその特徴が受け継がれ、それを明文化した掟が作成されることになるのである。（なお、その掟は、実在のロバーツ一味の掟やジョージ・ラウザ一味の掟を連想させる内容となっている。）

そして、本書の物語は、水夫たちがグウィン一味の勇姿を語る場面で幕を閉じる。おそらく多くの読者が、グウィン一味の掟を受け継ぐ次なる海賊一味が誕生し、短くも陽気な人生をおくる未来を想像せずにはいられないだろう。

過去からの知恵を糧に

本書の作画を担当したレスターは、グラフィックノベルには伝統的な歴史の本とは異なる力があると述べている。曰く、グラフィックノベルは、歴史をつまらないもの、あるいは恐ろしいものと感じる人々から、そのような心の壁を取り払うことができ、彼らはグラフィックノベルの読者となることで、知るべき知恵を身につけることができる、と。レスターはまた、学校教育においてグラフィックノベルが活用されつつある現状を引き合いに出し、その視覚的な素材に親しんだ若い読者が、いずれは運動家、組合の指導者、そして投票者となることに期待を寄せている。その期待は、もちろんレディカーも共有するところであろう。運動家の顔ももつレディカーにとって、虐げられた人々の真実を伝えること——学術書を通じてであれ、グラフィックノベルを通じてであれ——は、現代における社会正義のための闘争の一部にほかならない。歴史上の労働者たちが見せた抵抗の知恵が、現代の闘争の活力となること。本書は2人のそのような願いの上に成り立っている一冊なのである。

本書の翻訳・出版に向けた企画は、レディカー氏から訳者に、日本でも本書を出版できないだろうかと尋ねるメッセージが届いたところから動き出した。航海にたとえるならば、その船出が実現したのは、花伝社が船を提供してくれたおかげである。出航したのち、途中で嵐に遭って積荷を失う（つまり、原稿ファイルを消失する）ような困難など一切なかったにもかかわらず、ひとえに訳者の都合により船足が遅く、目的地に達するまでには想定していたよりも時間がかかってしまった。途中で食糧が補充された（恥ずかしながら、原稿の締切を延ばしていただいた）のも救いであった。入港（入稿）までに時間を要したものの、消息を絶つことなく航海を終えられたことには安堵している。最後に、折に触れて船に助言を届けてくださり、航海の準備段階から入港後まで、実務を担ってくださった花伝社編集部の大澤茉実氏に、深く感謝を申し上げます。

[作・絵] デイヴィッド・レスター（David Lester）

カナダのグラフィックデザイナー、イラストレーター。ロックユニット Mecca Normal のギタリストとして、ミュージシャンの顔ももつ。
グラフィックノベル作家として、作画を担当した *1919: A Graphic History of the Winnipeg General Strike*（Toronto: Between the Lines Books, 2019）では、カナダ労働研究学会の図書賞を受賞。マーカス・レディカーとポール・ビュールとは、本書に先立って *Prophet against Slavery: Benjamin Lay, a Graphic Novel*（Boston: Beacon Press, 2021）を刊行している。

[作] マーカス・レディカー（Marcus Rediker）

ピッツバーグ大学歴史学科 大西洋史卓越教授。
近世大西洋世界の船乗りや海賊、奴隷の研究で知られる。虐げられた労働者の闘争に価値を見出す歴史研究を実践するとともに、市民運動家として現代の社会正義のための活動にも積極的。
著作は数多くの言語へと翻訳され、日本では、本書の原作である『海賊たちの黄金時代──アトランティック・ヒストリーの世界』（ミネルヴァ書房、2014 年）のほか、『奴隷船の歴史』（みすず書房、2016 年）も刊行されている。

[訳] 笠井俊和（かさい・としかず）

群馬県立女子大学文学部 准教授。
著書に、『船乗りがつなぐ大西洋世界──英領植民地ボストンの船員と貿易の社会史』（単著、晃洋書房、2017 年）、『海のグローバル・サーキュレーション──海民がつなぐ近代世界』（共著、関西学院大学出版会、2023 年）、『改革が作ったアメリカ──初期アメリカ研究の展開』（共著、小鳥遊書房、2023 年）など。

海賊たちの黄金時代──死の王の旗の下に

2024 年 4 月 20 日　初版第 1 刷発行

著者─────作・絵：デイヴィッド・レスター
　　　　　　　作：マーカス・レディカー
訳者─────笠井俊和
発行者────平田　勝
発行─────花伝社
発売─────共栄書房
〒 101-0065　東京都千代田区西神田 2-5-11 出版輸送ビル 2F
電話　　　　03-3263-3813
FAX　　　　03-3239-8272
E-mail　　　info@kadensha.net
URL　　　　https://www.kadensha.net
振替　　　　00140-6-59661
装幀─────北田雄一郎
印刷・製本──中央精版印刷株式会社

ISBN978-4-7634-2113-5 C0098

女奴隷たちの反乱
──知られざる抵抗の物語

作：レベッカ・ホール／絵：ヒューゴ・マルティネス／訳：中條千晴

定価：1980円

●歴史から抹消された、黒人女性たちの闘いがあった。

数々の記録が残る、黒人奴隷による反乱。その首謀者は、本当にすべて男性だったのか？　植民地時代のニューヨークや奴隷船を舞台に、女戦士たちの連帯の軌跡を辿る──BLM運動の時代に脚光を浴びる、隠されたシスターフッドの物語。

黒人歴史学者が"史実"に挑む、異例のグラフィックノベル！